Il était une fois :
une **histoire d'œufs...**
Je m'appelle "Cocotte",
je suis une **poule**, j'habite
à la campagne. J'ai un bec
jaune et un chapeau rouge.

Un matin dans mon jardin,
je découvre dans mon nid
**un très gros œuf...**
**"Cot" alors !**
**Qui a fait l'œuf ?**
Je pars avec l'œuf à la
recherche de sa maman.

J'arrive chez madame **Lapin**

- Est-ce à toi cet œuf?

- Non, cocotte, une lapine
ne pond pas d'œuf.
-"Cot" alors!
Qui a fait l'œuf?

J'arrive chez
madame Tortue
- Est-ce à toi cet œuf?
- Non Cocotte, regarde, mes
œufs sont petits et ronds.
-"Cot" alors!
Qui a fait l'œuf?

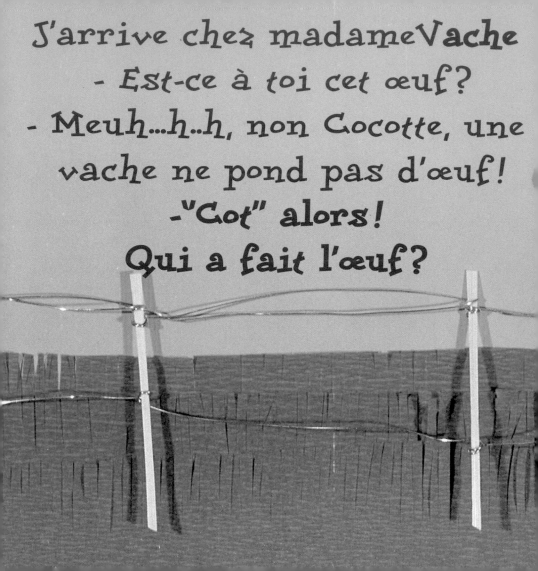

J'arrive chez
madame **Pingouin**
- Est-ce à toi cet œuf?
- Non Cocotte, regarde,
mon œuf est noir et blanc.
-"Cot" alors!
Qui a fait l'œuf?

J'arrive chez madame **Ours**

\- Est-ce à toi cet œuf ?

\- Non Cocotte, une ourse
ne pond pas d'œuf.

\-"Cot" alors !

**Qui a fait l'œuf ?**

J'arrive chez
madame **Crocodile**
- *Est-ce à toi cet œuf?*
- *Non Cocotte, regarde,*
*mon œuf est plus petit.*
**-"Got" alors!**
**Qui a fait l'œuf?**
*Et voilà que l'œuf*
*se craquelle...*

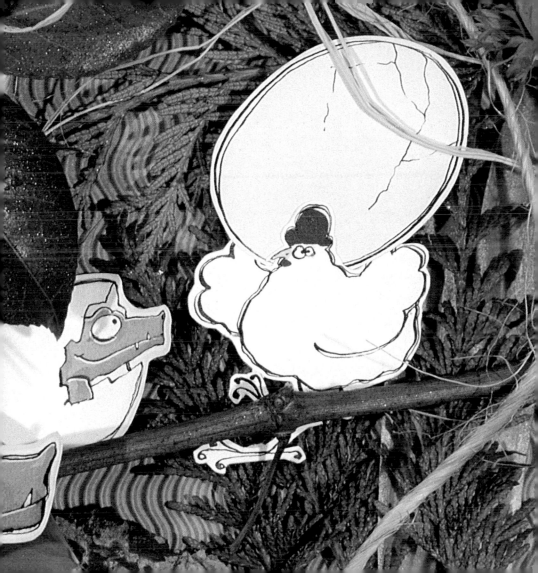

J'arrive chez madame Autruche.

- Est-ce à toi cet œuf ?
- "crick, crack..."

- Oui Cocotte, regarde,
C'est mon autruchon.
- "Cot" alors ! bravo !

- Déjà "n'œuf"
heures et je dois
partir retrouver
mes poussins.

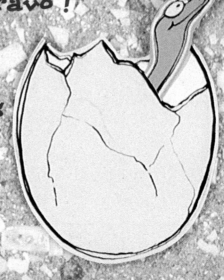

Au revoir madame Autruche.
A bientôt Cocotte...

**Ʒ**

Les éditions 1.2.3

*début de Siècle*

À partir de ... s
et jusqu'à ...
Trente "n'œuf" ...

3ɡ F - 5,95

ISBN 2-914265-